学会管自己——歪歪兔独立成长童话

住在箱子里的兔子

陈梦敏／著　　张文绮／绘　　宗　匠／策划

海豚出版社
DOLPHIN BOOKS
CIPG
中国国际出版集团

图书在版编目（ＣＩＰ）数据

学会管自己 / 陈梦敏著． -- 北京 ： 海豚出版社，2014.7
（2017.9重印）（歪歪兔独立成长童话）
ISBN 978-7-5110-2077-2

Ⅰ．①学… Ⅱ．①陈… Ⅲ．①自我管理－儿童读物Ⅳ． ① C912.1-49

中国版本图书馆 CIP 数据核字（2014）第 114049 号

书　　名：学会管自己——歪歪兔独立成长童话
作　　者：陈梦敏／著　张文绮／绘
策　　划：宗 匠
责任编辑：吴 蓓　孟科瑜　孙时然

出　　版：海豚出版社
地　　址：北京市百万庄大街 24 号　　邮　编：100037
电　　话：（010）68997480（销售）　　（010）68998879（总编室）
传　　真：（010）68993503

印　　刷：北京博海升彩色印刷有限公司
字　　数：80 千字
印　　张：22.5
标准书号：ISBN 978-7-5110-2077-2

开　　本：32 开（880 毫米×1230 毫米）
版　　次：2014 年 8 月第 1 版
印　　次：2017 年 9 月第 13 次印刷
定　　价：128.00 元（共 10 册）

目录

一、兔子十六和他的箱子   5

二、开玩笑的箱子   15

三、当兔子遇上熊   24

四、说假话的兔子   32

五、灰老鼠的接近   42

六、遭遇山洪   54

七、甜蜜的箱子   66

歪歪兔开始
讲故事啦！

今天我要讲的，

是一只兔子的故事。

别误会，

这只兔子不是我啦，

是一只住在箱子里的兔子，

他的名字叫十六。

他为什么要住在箱子里呢？

让我们一起去普普村看一看吧……

歪歪兔

住在箱子里的兔子

一、兔子十六和他的箱子

兔子十六跟他的爹妈，还有七个哥哥、八个姐姐一起，住在一个叫普普村的地方。

兔子十六打小就是一只普普通通的兔子，耳朵不比别的兔子短，尾巴也不比别的兔子长。每天，他会跟在七个哥哥、八个姐姐的后面，他们排成一列长蛇一样的队伍，跟着老爹一起去打理种着红萝卜和白萝卜的菜地。这样的日子过了很多年。

如果不出意外，到了明年春天，兔子十六也会像幸运的老爹一样，有一大块种萝卜的菜地和一大群种萝卜的小兔子。

然而，在兔子十六的心里，有一种他始终叫不出名字的东西，大概是一粒细小的萝卜籽吧，只要一接到春风的信息，就会不停地拱来拱去。

终于有一天，兔子十六遇到了一口漆得油光水滑的木头箱子，埋在他心里许久的种子一下子就破土而出了！兔子十六明白了，他一直渴望着生命中能出现一些特别的东西。

　　兔子十六把箱子放在离他家不远的一棵槐树下，决定住到箱子里去！

　　白天，让温暖的阳光尽情地洒进来，照遍箱子里的每一个角落。青草的香味、树叶的香味、花的香味也会跟着风飘进来，把那些美好的感觉全都带进来。

　　晚上，让银亮的月光照进来，让温柔的晚风吹进来，让夜虫的歌声飘进来……

　　如果天气不好，就关上箱子盖，这样，风吹不着，雨也打不着——比起住在兔子洞里，住箱子的好处实在是太多了！

对于小儿子异想天开的想法，兔子老爹举双手双脚投反对票！他认为兔子不需要一口箱子，如果真的需要，用来装萝卜会更好一些。用箱子代替兔子洞，噢，兔子老爹简直不敢想象——世界上再没有比兔子洞更适合兔子居住的了！

　　起初，为了不让兔子十六在歧路上越走越远，兔子老爹试图说服儿子："十六啊！据我所知，作为一只兔子还是安安分分地生活比较好。村西头有只兔子，喜欢戴一顶红帽子，结果被猎人喂了枪子儿；村东头有只兔子，一门心思想要学飞，最后坠下悬崖进了乌鸦的肚子。平安才是福，从来没有一只兔子住在箱子里。十六，你的想法实在是太荒唐了，这会给你招来麻烦的！"

　　兔子十六有点儿固执，他挺了挺胸膛："老爹，每个人的路都得自己走，我想我的路应该由我自己来选择。住在箱子里跟住在兔子洞里是有些不同，但是，您不觉得这一点儿不同会让生活变得有滋有味吗？一只兔子住在箱子里，麻烦也许会有，但我想总会有办法解决的。"

"不同不同，你就知道不同！"兔子老爹生气地大嚷道，"咱们一家都是普普通通的兔子，穿同样的衣服，吃同样的饭菜，这才像一家人！你一心想住在箱子里是什么意思，是想让别人说我们不像一家人？！"

兔子十六想不通，住在箱子里怎么就不像一家人了？只要大家都相亲相爱、心连心，就是一家人！即便有再多的不同，那也是一家人！

"我不认为住在箱子里就不像一家人。隔壁丫丫家，他们个个穿得不一样，但他们……"

不提隔壁家还不打紧，一提隔壁，兔子老爹就火冒三丈，他一向看不惯隔壁那些穿得花里胡哨的兔子："臭小子，你听着！我没工夫跟你多费口舌，一大堆萝卜还等着我去收。反正你已经成年了，翅膀硬了，老爹的忠告你也听不进了。那么，你就跟你那破箱子一起生活吧，永远不要回来！"说完，他一转身就出了兔子洞，"嘭"的一声关上了木头门！兔子洞里立刻响起了一阵"扑扑"的土块掉落的声音。

　　哥哥姐姐们都劝十六把木头箱子给丢出去。只不过是一口普普通通的箱子，又不是什么了不得的宝贝，可以让他像安徒生童话《飞箱》中的年轻人那样，在箱子的帮助下成为国王。犯不着为了它跟老爹伤了和气。

　　可兔子十六什么也没说，他默默地收拾了行装——几套简单的衣服、几本心爱的书，

然后推着箱子上了路。

　　现在，他的世界只剩下一口木头箱子了。

但是他相信，就算是一口普普通通的木头箱

子，也会带给自己一个不一样的世界。

二、开玩笑的箱子

这天清晨，叫醒兔子十六的是一串活泼的歌声。比起地下的兔子洞，住在箱子里，离歌声总会更近一些。

趴在箱子里的兔子十六从缝隙处往外一看，原来草丛里站着一只小刺猬，正拿着红果子往脸上搽呢。

真是一只爱臭美的刺猬，好可爱！兔子十六不由得笑了。

突然，一个坏坏的念头从兔子十六的脑子里冒出来，他决定跟臭美的小刺猬开个玩笑。

兔子十六伸出手在箱子的内壁上轻轻地拍了几下，箱子立刻发出"扑扑"的声音。

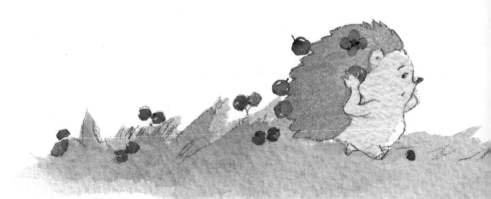

"谁？"小刺猬叫了一声，抬起头来，瞪着圆溜溜的小眼睛四下张望。她看见离自己不远处的草丛中有一口箱子。

　　一口箱子，里面会是什么呢？小刺猬歪着头想了想，然后小心翼翼地向箱子走过去，走了两步，又停下来。

　　面对这么一个厚墩墩的大家伙，小刺猬保持着她一贯的谨慎。不过，箱子安安静静地待在草丛里，没有发出一丁点儿的声响。

小刺猬壮着胆子往箱子跟前又凑了几步，停下来，对着箱子左瞧右瞧。然后，再慢慢地靠近。

　　当她断定这不过就是一口一动也不能动的木头箱子，正想伸出手去推一推的时候，只听"砰"的一声，箱子自己打开了！

　　一只兔子支棱着长耳朵，从箱子里直直地跳了出来！

　　"啊！"小刺猬尖叫一声，迅速把自己变成一个小刺球，骨碌碌骨碌碌地滚了老远。

"哈哈哈……"兔子十六笑得腰都快直不起来了，"哎哎，刺猬刺猬，不要害怕，我和我的箱子只是想跟你开个玩笑！"

小刺猬站起身来，按了按怦怦直跳的小心脏，小脸儿涨得通红，比刚才她丢掉的那枚红果子还要红。

"讨厌！讨厌！讨厌！"小刺猬嘟着嘴，气呼呼地喊道。

"别生气嘛！"兔子十六拍拍箱子，大方地说，"你也可以来，跟我一起躲在会开玩笑的箱子里。"

一口会开玩笑的箱子，这能让天天采红果子、没事躺在草地上晒太阳的日子变得多么与众不同啊！

就这样，小刺猬高高兴兴地成了兔子十六的搭档。她跟兔子十六一起，把箱子推到小鼹鼠的家附近，再躲起来，然后故意在

箱子里弄出些动静。

小鼹鼠也糊里糊涂地走近了箱子，小刺猬和兔子十六一起，猛的一下把箱子盖打开，尖叫着从箱子里蹦出来！

弹簧刺猬！

弹簧兔子！

哈哈哈……

小鼹鼠吓得黑脸儿都成了白脸儿！

从此，森林里多了一口会开玩笑的箱子。它吓唬过獾，吓唬过鹿，吓唬过猴子，吓唬过松鼠，吓唬过长尾巴的锦鸡……

被吓唬过的所有动物，在狠狠地吃了一惊之后都忍不住开怀大笑，他们打心眼儿里喜欢上了这口箱子。正因为有了它，小动物们平淡的生活变得闪闪发亮。

　　接下来，这口箱子成了大家的箱子。白天，有人会把箱子推走，去跟别人开玩笑；晚上，又会准时地把箱子推回来，推到森林里一棵高大的橡树下，藏在最茂密的草丛里，兔子十六晚上得住在里面。

　　现在，兔子十六的世界里，不再只有一口箱子，还有了好多新朋友。虽然，兔子十六还会常常想起他的老爹和七个哥哥、八个姐姐，但他更喜欢自己的新生活。一口普普通通的箱子，让他感受到了跟以前截然不同的欢乐！

一天傍晚，兔子十六照常回到住处，发现朋友们并没把箱子送回来。等了好一会儿，又出去转了一大圈，箱子还是没回来。

　　晚上我睡哪儿呢？兔子十六有点儿着急了，他已经习惯了住在箱子里。

　　"箱子，我的箱子……"在寂静的夜里，只要扯开嗓门喊，声音就会传得很远。

　　这时，从兔子十六的头顶上垂下来一根指头粗的长藤。兔子十六一抬头，立刻明白了，这口会开玩笑的箱子，最后竟然把玩笑开到了他的头上——它被几只猴子搬到了树上，跟他玩起了捉迷藏！

住在箱子里的兔子

三、当兔子遇上熊

兔子十六没有想到，箱子不只会带给他新鲜和快乐，也会不知不觉地招来麻烦。

　　那天，天空中飘着细雨，兔子十六没有出门，一个人抱着一本书躺在箱子里，嘴里叼着一根狗尾巴草，享受着难得的清静时光。

一头长得又高又壮的黑熊，也不知道是从哪儿来的，总之，他发现了兔子十六住的箱子。

"哈哈哈，一口箱子！看起来还真不错，用来装书正好！"黑熊的笑声像天空中的炸雷一样，吓得兔子十六不由自主地打起了哆嗦。

箱子跟着黑熊走倒是没什么，可是，一只兔子要是到了黑熊的家里……

如果老爹知道了他倔脾气的小儿子，因为坚持一点儿特别的东西而变成了黑熊餐桌上的一盆兔子汤，会不会感到悲伤？

一想到这儿，悲伤就从兔子十六的心里涌出来，把他的眼睛、脸颊全给打湿了。

然而，大个子黑熊压根儿不知道箱子里还有一只小兔子，他伸出又宽又厚的巴掌，扛起木头箱子就走。一边走，还一边高高兴兴地哼着歌。

　　说实在的，大个子黑熊的歌声还真不怎么样。这么说吧，大树听了都要抖几抖，云朵听了也得赶紧牵着风的衣角逃走；兔子十六呢，把耳朵捂得紧紧的，恨不得自己变成一根木头！可是，捂紧耳朵一点儿也不管用，那可怕的歌声还是一个劲儿地钻到他的耳朵里，钻到他的心里：

　　"恐怖小说我不怕，我的胆子真是大，真呀嘛真是大……"

兔子十六可真够倒霉的，他遇上的这位黑熊先生，胆子非常大。这一点，书店的鳄鱼太太可以证明。鳄鱼太太一见到封面就吓得连忙捂住眼睛的恐怖小说，黑熊先生却乐此不疲，一本接一本地把它们买回家。

兔子十六也看过一些恐怖小说。不过，他从来不敢一个人看，只有跟哥哥们在一起时，才能看上那么一两段。

不知道怎么回事，兔子十六一想起哥哥们，心里就生出一些勇气来。他的哥哥们曾经做出过一件让普普村里所有的兔子都感到骄傲的事：他们用长长的白床单扮成鬼，一个一个地叠成罗汉，吓走了想来普普村占便宜的绿眼狼！

"嘿，兔子十六，要加油哦！"兔子十六对自己说，"要像哥哥们一样勇敢！"

也许，哥哥们的经验我也用得着。兔子

十六想。反正我豁出去了，试一试，总比什么也不干，乖乖地等着黑熊把自己变成晚餐强。

兔子十六说干就干！

他把短裤挂在自己的长耳朵上，把朋友们送的果酱抹到脸上，抹得红一块紫一块，再顺手抄起一瓶胡椒粉。他打算猛地打开箱子，嘴里怪叫着冲出去，把胡椒粉喷到黑熊的鼻子下，趁他打喷嚏的工夫，自己撒腿就跑，跑得远远的……

觉得一切都准备妥当之后，兔子十六深

深地吸了几口气，在心里默默地数了三下：
"一、二、三！"

"砰！"

兔子十六猛的一下推开了箱子："哇哇哇！"然后冲着黑熊的鼻子一通猛喷胡椒粉——他也不知道自己到底有没有喷准——就从箱子里往旁边的灌木丛中跳！

不料，黑熊比兔子跑得更快，几步就追上了兔子十六，接着——超过了他！

"妈呀，箱子里有妖怪！"黑熊一边跑，

一边怪叫着，"妖怪还咬了我的鼻子！"

　　唉，这位黑熊先生，恐怖小说看得太多了！把想象和现实混淆了！他像一颗上了膛的子弹一样，"呼"的一下就跑得不见了踪影！

　　那我也赶紧逃吧！兔子十六慌里慌张地推着他的箱子，一口气跑出了老远。直到停下来，他才发现自己浑身上下已经湿透了！可是箱子一点儿事也没有——看起来，箱子比兔子十六要镇定得多，勇敢得多！

住在箱子里的兔子

四、说假话的兔子

　　兔子十六慌不择路的逃跑最终让他迷失了方向——他把自己待过的那片林子给弄"丢"了。

　　"林子丢了倒也不要紧，最重要的是，我的箱子没丢。"兔子十六想。他是一个乐天派，在遇到困难的时候，总能不费吹灰之力就找到安慰自己的理由。

　　一只推着箱子跑的兔子，是很容易引起别人注意的。人们总是会对一些特别的人或事感到好奇。

　　在平平城里，最有好奇心的两位，要数《平平日报》的喜鹊记者和乌鸦记者了。这么多年来，他们俩一直坚持着发现新鲜事、挖掘新鲜事、传播新鲜事。无疑，这兔子十六的出现，就是平平城的新鲜事。

乌鸦记者和喜鹊记者一前一后地飞到兔子十六面前，要对他做一个专访。乌鸦记者的动作总是要快一些，这大概就是坏事总比好事传得快的原因吧。

兔子十六在自己的箱子里接待了他们。

"兔子先生，请问怎么称呼您？"乌鸦
记者问。

"兔子十六。"

于是，乌鸦记者在他的采访本上写下这么一段："来到平平城的兔子叫十六，这是一个挺没创意的名字。"

然而，喜鹊记者在他的采访本上却是这么写的："来到平平城的兔子叫十六，这是一个挺有意思的名字。"

然后，喜鹊记者抛出下一个问题。为了保持友好的竞争关系，他跟乌鸦记者之间早有默契，一人提一个问题。

"兔子十六先生，请问您为什么推着箱子跑？"

　　"为了住在箱子里能看到不同的世界。"

　　于是，喜鹊记者在他的采访本上写下这么一段："兔子十六，是一只住在箱子里的兔子。有这样的想法，证明他想象力太丰富了！"

　　然而，乌鸦记者在他的采访本上却是这么写的："兔子十六，是一只住在箱子里的兔子。有这样的想法，证明他太喜欢做白日梦了！"

　　接下来，乌鸦记者继续写："兔子十六是被他的父亲赶出家门的，真是太不幸了！兔子十六吓坏了一只小刺猬，真是太不幸了！兔子十六被自己的箱子开了玩笑，真是太不幸了！"

　　喜鹊记者也继续写："兔子十六的生活

真是太独特了！兔子十六想出用箱子跟大家开玩笑的办法，真是太独特了！兔子十六的箱子居然上了树，真是太独特了！"

你瞧，《平平日报》的两位大记者就是这样，一个是悲观主义者，一个是乐观主义者，他们俩的看法老是不统一。如果你是一个没主见的人，看了他俩撰写的《平平日报》，一定不知道听谁的好。

但《平平日报》一直很受大家的欢迎，不光是因为这个世界上有悲观主义者也有乐观主义者，还因为《平平日报》说的全是真事。大家对每一件真实的事情都有权保持自己的看法。

所以，尽管乌鸦记者和喜鹊记者老在唱对台戏，他们却都是《平平日报》不可缺少的顶梁柱。

"在我流浪的途中，我还吓跑了一头黑

熊，我猜，他是一头
很爱看恐怖小说的
熊。"兔子十六继续
对两位大记者讲述着
自己的经历。

"您说的是黑熊'贼大胆儿'？"两
位记者同时叫了起来，接着，他们又同时摇
了摇头，表现出惊人的一致："嘿，兔子
十六，《平平日报》
不欢迎一个说假话的
兔子！我们俩以前采
访过开书店的鳄鱼太
太和爱看恐怖小说的

黑熊贼大胆儿先生。一只兔子能吓跑一头最
勇敢的熊，这不可能，绝对不可能！这分明
是在睁着眼睛说瞎话！"

于是，乌鸦记者和喜鹊记者，都在自己

的采访本上写下了自己对兔
子十六的看法："兔子十六
是一只爱吹牛的兔子，大家
要警惕他说假话。"

乌鸦记者和喜鹊记者就
这样结束了采访，匆匆飞走了。

不论兔子十六走到哪里，平平城里的居
民们都对他十分冷淡。没有人喜欢一个满嘴
假话的骗子。

唉，咱们不得不说，乌鸦记者和喜鹊记
者的效率还是挺高的。他们俩对兔子十六的
看法，一夜之间就成了平平城所有人对兔子
十六的看法。其实，有时事情的真相往往会
藏得很深很深，需要用时间和耐心去挖掘。

兔子十六是一只有点儿骄傲的兔子，他
认为，跟一群不懂自己的人解释，只会浪费
自己的时间和精力。只要自己知道自己没说

谎，只要自己还有一口了不起的好箱子，这就够了，兔子十六不会为别人的看法而生活。

兔子十六若无其事地昂着头，推着箱子走出了平平城。

好吧，就算全世界的人都不搭理我，我还有我的箱子！

五、灰老鼠的接近

　　兔子十六出了城门，想登上城外那座高高的山。当一个人心情不大好的时候，爬山会让心情变得舒畅一些。从高高的山顶上往下看，那些高大的房屋不过就像火柴盒一样。这么一想，再大的烦恼也变成了小事一桩。

　　日头有些毒，但行走在密密丛丛的绿树之中，倒也不觉得太热。夏日的午后，树的香味被太阳慢慢地烘烤飘散，兔子十六深吸一口气，感觉好多了。

　　兔子十六没走多远，就听见有人在喊："喂，前面的那只兔子，请等等！"

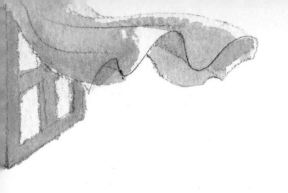

　　一只灰老鼠提着一篮子好吃的好喝的，出现在他的面前。"如果我没猜错的话，你就是大名鼎鼎的兔子十六。"灰老鼠客客气气地说。

　　大名鼎鼎？是臭名远扬吧？平平城的每一个人都认为我是一个骗子。兔子十六苦笑着摇了摇头，又点了点头："是的，我是兔子十六。"

　　"哎呀，可让我找到你啦！"灰老鼠把篮子搁在脚下，热情地说，"你是一只了不起的兔子！我想请你喝一杯！别人不信你，我可相信，因为黑熊贼大胆儿也有害怕的时候。这一点，我早就发现了。"

　　说着，灰老鼠把篮子里的食物全拿了出

来，还拎出来一瓶果子酒。

"来，咱们边吃边说！"

原来，灰老鼠的家在黑熊贼大胆儿家的地下，对贼大胆儿的行为，不说是一清二楚，也可以说是了解五六分。别看贼大胆儿爱看恐怖小说，其实他是常常缩在被窝里看的。有一次他坐在沙发上看小说，因为窗外风吹断树枝发出"咔"的一声，他被吓得丢下书就钻到了床底下。

有一天，灰老鼠打算向《平平日报》的乌鸦记者爆料，好得到一点儿奖金换酒喝。可那只自以为是的乌鸦却说什么也不信，还说灰老鼠爱偷东西爱撒谎，嘴里哪能有什么真话？

　　"兔子十六啊，就算一个人爱撒谎，但他不可能每一句话都是假话吧？所以，我特别理解你憋屈的心情。来，咱们来个一醉方休。"灰老鼠说着，举起酒杯，跟兔子十六碰了一下杯，一仰脖子，把通红的果子酒喝了下去。

　　说实话，兔子十六不太喜欢灰老鼠，因为灰老鼠是个爱偷偷摸摸的家伙。但兔子十六有一颗柔软的心，他不忍心拒绝灰老鼠的好意。而且，有一个愿意信任你的人，安安静静地听你倒倒苦水，总会让人好过得多。于是，兔子十六也举起酒杯，陪着灰老鼠喝了起来。

"兔子十六，跟我说说你的宝贝箱子怎么样？"一番推杯换盏过后，灰老鼠对兔子十六说。

　　"系（是）啊，我的箱子系（是）个宝贝。"兔子十六晕晕乎乎地点着头，舌头有点儿不听使唤了。

　　"除了能吓跑熊，还能做什么？"灰老鼠眼睛一亮，紧接着问道。

"除了吓跑熊，还能，还能……"

"是不是还能带着人飞翔？"灰老鼠又问。

"你系（是）说飞、飞、飞箱？我从小就爱看《飞、飞、飞箱》。"兔子十六满脸通红，眼神也有点儿涣散了。

你可别以为灰老鼠接近兔子十六，是因为他们俩同病相怜。其实他之前说的全是瞎编的。人们都说胆小如鼠，灰老鼠也不例外。他每次见了黑熊贼大胆儿都躲得远远的，哪儿还敢当他的邻居，观察他的一举一动呢！

作为一只卑微又贪婪的老鼠，灰老鼠心里想的是——如果取得了兔子十六的信任，探听出箱子的秘密，再想办法把箱子占为己有的话，嘿嘿，他就能时来运转，再也不会被人瞧不起了！

"飞箱、飞箱……"兔子十六说着，站起身来，歪歪倒倒地爬进了他的箱子，靠在箱子的一角，打起了呼噜。他醉了！

灰老鼠虽然没有套出什么话来，但他确信兔子十六的箱子不同寻常。因为兔子十六明明白白地说过，他的箱子是个宝贝。

灰老鼠万万没有想到，兔子十六说着

说着就爬进箱子睡着了。如果他在外面烂醉如泥，自己就可以推着他的箱子跑了。可现在……

灰老鼠眼睛骨碌碌一转，很快又有了一个坏主意：趁着兔子十六沉睡不醒的时候，咬下一根树藤绑在他身上，把他吊在半空中。然后，我不就可以一边哼着小曲儿一边把箱子推走了吗……

"箱子，箱子，我的宝贝箱子……"兔子十六睡梦中还在喃喃地喊着他的箱子。他怎么会知道，他的宝贝箱子，再一次给他带来了坏运气。

住在箱子里的兔子

六、遭遇山洪

　　灰老鼠爬到一棵大树上，"咔嚓咔嚓"
地啃咬着树藤。过不了多久，兔子十六的箱
子就会属于他了。

　　灰老鼠刚咬到一半，突然，一道闪电划
亮了夜空，惊得他打了一个哆嗦。

说到底，灰老鼠还是个胆小的家伙。尤其是在做坏事的时候，那胆儿就更小了！

紧接着，半空中传来"轰"的一声巨响！是雷声！

灰老鼠这时更害怕了：这该不会是老天爷发出的警告吧？灰老鼠从小就喜欢偷偷摸摸，但做这种半路抢劫的勾当，还是头一遭！

灰老鼠从树梢上看了看下面箱子里的兔子十六（兔子十六喝醉了，箱子盖也忘了关），他犹豫着要不要把他给吊起来。最终那口在夜里散发着幽光的箱子让他又下定了决心，一定要把这口宝贝箱子搞到手。

灰老鼠张大嘴巴，加紧啃了几下……

"咔嚓！"

又一道闪电劈过来，很不巧的是，灰老鼠脚下的树枝被闪电劈断了！

"完了！天打雷劈了！"

灰老鼠眼一闭，连哼都来不及哼，"扑通"一声，重重地摔在地上，昏了过去。

　　山林里，狂风大作，电闪雷鸣，雨点像豆子一样，冲过树叶的间隙，噼噼啪啪地打落在兔子十六的身上。

　　"怎么，下雨啦？"兔子十六咕哝了一句，迷迷瞪瞪地坐起来，把箱子盖合上。然后身子一歪，又睡了过去。

　　这一夜，兔子十六的梦一直摇摇晃晃的，这让他在梦里也有些犯嘀咕。直到听到有人在大声呼唤自己的名字，他才醒了过来。他用力揉了揉发疼的太阳穴。唉，我喝了太多的果子酒。兔子十六想。

　　"兔子十六，救命啊！"

　　兔子十六从箱子的缝隙处往外一看，不禁狠狠地吃了一惊：四周全是水，他的箱子

漂浮在混浊泛黄的大水中，浪头"啪啪"地拍打着他的木箱，一浪接着一浪。昨晚请他喝酒的灰老鼠，正紧紧抱着一根树枝，漂在茫茫的水面上。

原来，昨天夜里的那场大雨引发了山洪。山脚下的那条大河，水面一下子涨得老高。河水离开了河道，像是暴怒的野兽，想要吞噬掉大地上的一切生灵。兔子十六的箱子和灰老鼠也被山洪冲进了大河，随着浪头一浮一沉。

"天哪！我得救救他！"兔子十六猛地推开箱子盖，冲着灰老鼠大喊："不要着急，我会想办法救你的！"

幸好，昨夜灰老鼠咬下的那根树藤正好掉落在兔子十六的箱子中。兔子十六捡起树藤，咬了咬牙，卯足了劲儿朝灰老鼠的方向

甩过去!

"接着!"

兔子十六抛得很准,灰老鼠抓住树藤,被兔子十六吃力地拉了过来。刚一爬进箱子,灰老鼠就两腿一软,瘫倒在里面。

"灰老鼠,没事了。我的宝贝箱子救了你!"兔子十六找来一块大毛巾,给灰老鼠使劲地擦了擦身子。

"兔子十六，快让你的箱子飞起来吧！飞到没有洪水的地方去。不然，真不知道我们要漂到什么时候！"灰老鼠喘了口气，急切地说。

"我说老兄，你该不会是被淹糊涂了吧？这只是一口普普通通的箱子。"兔子十六很吃惊，"嘿，你还真相信世界上有什么飞箱啊！"

"不是你自己亲口说的，这是你的宝贝箱子吗？"灰老鼠比他更吃惊。

"哈哈哈，一口箱子救了你的命，难道它不应该被称为宝贝箱子吗？"兔子十六大笑道。

灰老鼠被笑得有点儿不好意思。谁知道他的脑子是不是进水了呢，竟然幻想着有什么神奇的箱子，还差点儿为此丢了命！

"不错，不错，它确实是一个好宝贝。"

灰老鼠讪讪地笑着。原来兔子十六的箱子只是一口普通得不能再普通的箱子，只不过是因为他在里面住久了，跟它有了感情而已。那么，等到洪水退去，我就离开箱子，再也不打它的主意了。灰老鼠想。

七、甜蜜的箱子

兔子十六的箱子在大水里泡了好几天，接着又被火辣辣的太阳晒得裂了好几道大口子。

谁都喜欢自己的家整洁、漂亮，兔子十六也一样。该好好地把我的箱子修整一下了，他想。

有裂缝的地方，削点儿小木棍来塞住；粗糙不平的地方，要细细地打磨打磨；至于箱子的外面，要重新刷一遍油漆，还可以画一点儿自己喜欢的花纹！

这天，兔子十六一边哼着歌，一边拿笔在箱子的一角描着花纹。一个好听的声音突然从他的背后响起："嘿，你画得真好看！"

兔子十六一回头，发现是一只漂亮的兔子站在他面前时，不由得有些呆了。

这只兔子全身上下白得像一朵云彩，仿佛风轻轻一吹，就会飞起来。她的眼睛是嫩嫩的粉红，三瓣嘴一咧开，就像春风中微微绽开的桃花。

"谢谢。"兔子十六短短地回答了一句，觉得自己的语言功能都进入冬眠状态了。虽然，他以前也称得上是一只能说会道的兔子。

"你打哪儿来？想来这儿卖箱子？"

"我是从遥远的普普村来的。这箱子……"兔子十六犹豫了一下，不知道自己该不该说出真相。他突然之间有了担心：如果讲明自己就住在这箱子里，眼前这只漂亮的兔子会不会立刻嫌弃地转身走开？

　　"这箱子我很喜欢。我想买下它。"漂
亮的兔子眼睛一眯，又露出一个迷人的微笑。

　　"这是我住的箱子，我一直带着它周游
世界呢。"兔子十六决定，还是说出实情比
较好。面对一只自己喜欢的兔子，兔子十六
觉得，坦荡远比隐瞒更可靠。

"住在箱子里？你可真特别！"漂亮的
兔子叫了起来，"如果你不介意的话，我可
以把我这些花儿放到箱子里吗？它一定会让
你的箱子更漂亮！哦，忘了介绍我自己，我
是兔子莎莎，能交个朋友吗？"她的手里，
正好捧着一把五颜六色的野花。

兔子十六像绅士一般，把漂亮的兔子莎莎请到了他的箱子里。他们闻着花香，用小小的茶杯喝着茶，一起度过了一段美好的下午茶时光。

一个月之后，兔子十六和兔子莎莎在森林里举行了盛大的婚礼。新房嘛，当然是那口跟着兔子十六一起流浪的箱子！

　　幸运的兔子十六，终于遇到了一个懂得他的兔子，而且，她愿意跟随他一生，不管是富裕还是贫穷，不管是健康还是疾病，除了死亡，没有人能将他们分开。

　　那天晚上，兔子十六对兔子莎莎说，他决定管这个铺满鲜花的箱子叫"甜蜜的箱子"，尽管以前他给它起过各种各样的名字。

　　是的，以前他管它叫过"开玩笑的箱子"、"勇敢的箱子"、"让人误会的箱子"、"救

命的箱子"，等等，现在看来，只有"甜蜜
的箱子"才是最合适的。

后来，在这口甜蜜的箱子里，又多了几
只小兔子，他们全都长得像兔子十六一样，
只是普普通通的兔子，耳朵不比别的兔子短，
尾巴也不比别的兔子长。

兔子十六每天从萝卜地里回来，总会在
这口甜蜜的箱子里，跟他的孩子们讲起从前
的故事。

"我并没有变成一位国王，不过，这箱子对我来说，永远是一口特别的箱子。是它，让我得到了现在的幸福，平平淡淡的幸福。"兔子十六说。

兔子十六的故事讲了很多次。但是，他的孩子们一点儿也没有不耐烦，他们都非常喜欢听爸爸讲的故事，直到有一天——

兔小一从外面拖回来两根木棍，骄傲地对兔子十六说："爸爸，我想成为一只踩高跷的兔子！"

兔子十六知道，新的故事又要开始了……

歪歪兔关键期教育系列童书

全情商教育绘本

高能力养成童书

绽放自我——
歪歪兔生命教育童话
（全 10 册）
学会独立思考
绽放优秀自我

**（7~12 岁）
独立思考
关键期**

成长的10种智慧
（全 10 册）
开启人生智慧
积极乐观生活

**（5~9 岁）
入学适应
关键期**

学会管自己——歪歪兔独立
成长童话（全 10 册）
保持独立品格，养成良好学习
习惯，培养学习能力，提升社
会适应能力，全面适应小学新
环境

团结伙伴一起解决问题——
歪歪兔领导力教育系列
图画书（全 10 册）
提升自身综合素质与能力
学会与伙伴一起解决问题

**（4~8 岁）
素质提升
关键期**

做最富足的自己——
歪歪兔财商教育童话
（全 10 册）
掌握驾驭金钱的智慧
开启富足幸福的人生

做最受欢迎的自己——
歪歪兔社会交往系列图画书
（全 10 册）
培养高社交情商
更好融入小社会

做最好的自己——
歪歪兔性格教育系列图画书
（全 10 册）
塑造良好性格
助力心灵成长

**（3~6 岁）
性格培养
关键期**

做内心强大的自己——
歪歪兔逆商教育系列图画书
（全 2 辑 20 册）
20个系统的挫折教育主题
应对幼儿园各种困难情境

歪歪兔儿童性关怀系列图画书
（全 8 册）
让家长面对孩子的尴尬问题不
再难以启齿，让孩子的种种疑
惑与好奇得到解答

学会管自己幼儿版——
歪歪兔自控力教育系列
绘本（全 10 册）
学会从外部控制到自我控制
提升自我管理能力

**（2~5 岁）
人生第一
逆反期**

歪歪兔安全习惯系列
互动图画书（全 10 册）
10个重要的安全主题
培养必需的安全意识

不用说，孩子就会听——
歪歪兔逆反系列图画书（全 8 册）
轻松化解叛逆心理
帮助宝宝健康成长

**（1~3 岁）
习惯培养
关键期**

歪歪兔行为习惯系列
互动图画书（全 10 册）
10个常见的生活主题
培养良好的行为习惯

**关键期教育
进阶体系**

歪歪兔情商教育体系源自关键期理论，歪歪兔情商教育进阶产品
源自长达 8 年对海量儿童会员成长情况的持续跟踪和总结归纳，并经
百万读者使用检验，是系统、科学的教育产品。

（购买歪歪兔全系列正版图书请扫描二维码）

官方网站:waiwaitu.com

歪歪兔亲子俱乐部:

歪歪兔为 0-6 岁孩子的家长提供早期教育交流空间,定期举办育儿
访谈、绘本讲读及亲子活动。

歪歪兔新浪微博:@歪歪兔情智乐园
歪歪兔官方微信:微信号 waiwaituzj
歪歪兔亲子QQ群:586232917

扫一扫
了解情商教育的方法